TIMPEALL

Le haghaidh leanaí suas go 7 mbliana d'aois

TREASA NÍ AILPÍN

FEARGHAS MAC LOCHLAINN
a rinne na pictiúir

AN GÚM
Baile Átha Cliath

An Chéad Chló

ISBN 978-1-85791-049-0

Printset & Design Teo. a chlóbhuail in Éirinn.

Le fáil ar an bpost uathu seo:
An Siopa Leabhar,
6 Sráid Fhearchair,
Baile Átha Cliath 2.
ansiopaleabhar@eircom.net

nó

An Ceathrú Póilí,
Cultúrlann Mac Adam–Ó Fiaich,
216 Bóthar na bhFál,
Béal Feirste BT12 6AH.
leabhair@an4poili.com

Orduithe ó leabhardhíoltóirí chuig:
Áis,
31 Sráid na bhFíníní,
Baile Átha Cliath 2.
eolas@forasnagaeilge.ie

An Gúm, 24-27 Sráid Fhreidric Thuaidh, Baile Átha Cliath 1.

𝄞**1** Téimis chun siúil –
La, la-la, la!
Téimis chun siúil
La, la-la, la!
Seo linn ag rith,
Seo linn ag rith,
La, la-la –
La, la-la –
La, la-la, la!

𝄞2 Is buachaill bó mise, hó! hó! hó!
Ag marcaíocht ar mo chapall, ó!
Is buachaill bó mise, hó! hó! hó!
Hí-eip!
Hí-eip!
Hó-Hó-Hó!

𝄞 **3** Hup leat, a chapaillín!
Seo linn ar an aonach.
Hup leat, a chapaillín!
Siar amach faoin sliabh linn.

Hup leat, a chapaillín!
Fillfimid roimh oíche,
Is beidh ribíní ar do mhoing agam
Is iad ag gabháil na gaoithe!

𝄞**4** Suas liom, suas liom,
Go hard sa spéir!
Suas liom, suas liom,
Thar bharr na gcraobh!
Suas, i bhfad suas,
Thar na néalta glé –
Ach cá ndeachaigh réaltaí
Na hoíche go léir?

𝄞**5** Tá bachlóga ag oscailt
Beagáinín gach lá.
Is gearr go mbeidh duilleoga
Glasa ar an gcrann!

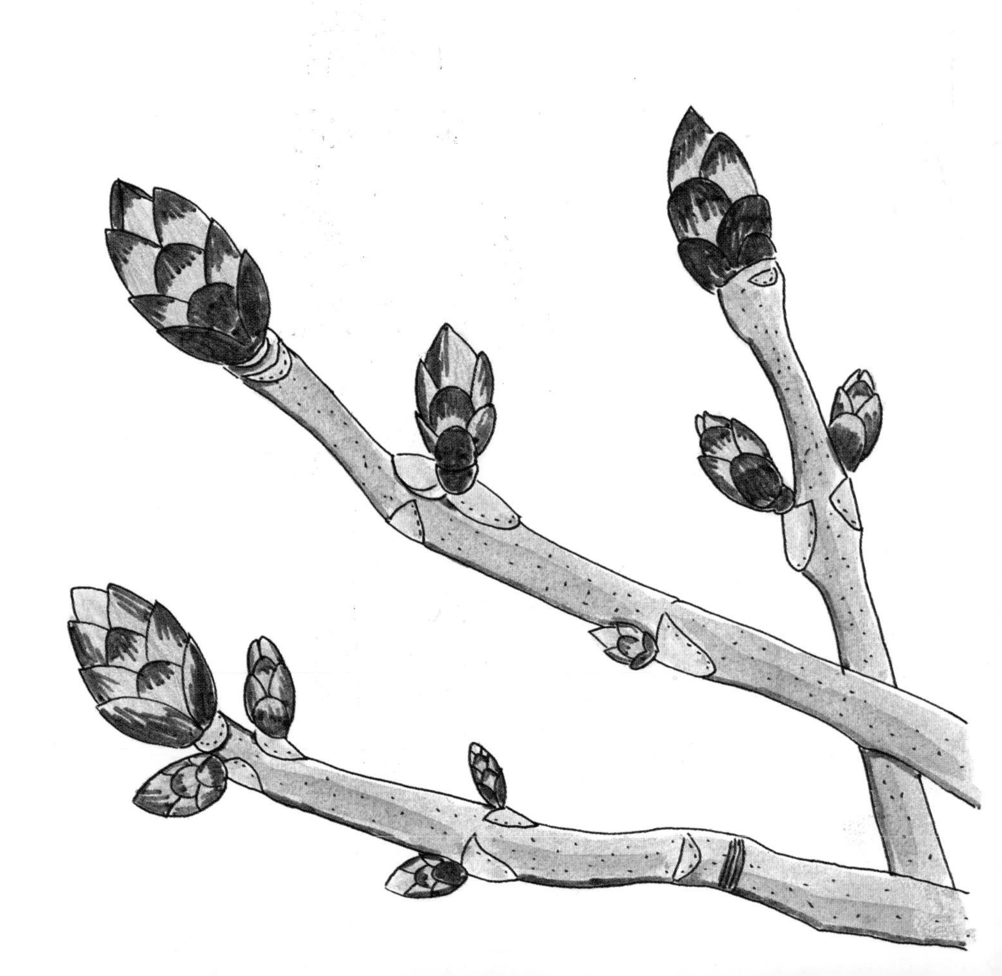

𝄞 **6** Timpeall! Timpeall! Rothaí an chairr,
Timpeall! Timpeall! Rothaí an chairr,
Timpeall! Timpeall! Rothaí an chairr,
Rothaí ag casadh timpeall!

Bíp! Bíp! Bíp! ag adharc an chairr,
Bíp! Bíp! Bíp! ag adharc an chairr,
Bíp! Bíp! Bíp! ag adharc an chairr,
Géilligí don Bíp! Bíp!

𝄞**7** Hóra, is mise an tiománaí traenach –
Hóra, hóra, bó aerach!
Is ná bíodh tusa déanach,
  Is mise an tiománaí,
  Is mise an tiománaí,
Is mise an tiománaí traenach!

𝄞**8** Buail bos,
Gread cos,
Cas timpeall
Is glac sos.

𝄞9 Buail do bhosa,
Buail do bhosa,
Bosa beaga míne,
Buail do bhosa,
Buail do bhosa,
Is gheobhaidh tú féirín Dé hAoine!

Buail do ghlúine,
Buail do ghlúine,
Glúine beaga míne,
Buail do ghlúine,
Buail do ghlúine,
Is gheobhaidh tú féirín Dé hAoine!

Buail do chosa,
Buail do chosa,
Cosa beaga míne,
Buail do chosa,
Buail do chosa,
Is gheobhaidh tú féirín Dé hAoine!

𝄞 **10** Ag siúl, ag siúl, ag siúl,
Gan trup, gan torann, go ciúin –
Sneachta álainn glé,
Nach aoibhinn, aoibhinn é!

𝄞 **11** A bhóín bheag Dé,
A bhóín bheag Dé,
Oscail do sciatháin
Is bí ag eitilt san aer!

𝄞 12 Ceithre rón thuas ar an gcloch,
Thuas ar an gcloch,
Thuas ar an gcloch,
Ceithre rón thuas ar an gcloch –
Léim ceann amháin isteach sa loch!

Trí rón thuas ar an gcloch,
Thuas ar an gcloch,
Thuas ar an gcloch,
Trí rón thuas ar an gcloch –
Léim ceann amháin isteach sa loch!

Dhá rón thuas ar an gcloch,
Thuas ar an gcloch,
Thuas ar an gcloch,
Dhá rón thuas ar an gcloch –
Léim ceann amháin isteach sa loch!

Rón amháin thuas ar an gcloch,
Thuas ar an gcloch,
Thuas ar an gcloch,
Rón amháin thuas ar an gcloch –
Léim sé siúd isteach sa loch!

Níl rón ar bith,
Thuas ar an gcloch,
Thuas ar an gcloch,
Thuas ar an gcloch.
Níl rón ar bith,
Thuas ar an gcloch,
Tá siad go léir
ag snámh sa loch.

𝄞 **13** Aon, dó.
Aon, dó, trí –
Luichíní
Istigh sa tuí!
Aon, dó,
Aon, dó, trí –
Luichíní
Istigh sa tuí!

Ceathair, cúig,
Ceathair, cúig, sé –
Tháinig gandal
Is cúpla gé!
Ceathair, cúig,
Ceathair, cúig, sé –
Tháinig gandal
Is cúpla gé!

Seacht, ocht,
Seacht, ocht, naoi –
Thosaigh siad
Ag déanamh spraoi!
Seacht, ocht,
Seacht, ocht, naoi –
Thosaigh siad
Ag déanamh spraoi!

𝄞 **14** Indiach dearg ar a chapall ag teacht,
Ar a chapall ag teacht,
Ar a chapall ag teacht,
Indiach dearg ar a chapall ag teacht –
Cliotaram, cliotaram, clois!

Slua mór dá mhuintir aniar ina dhiaidh,
Aniar ina dhiaidh,
Aniar ina dhiaidh,
Slua mór dá mhuintir aniar ina dhiaidh,
Cliotaram, cliotaram, clois!

15 Cúig ubh istigh sa nead,
Cearc ar gor: glug, glug, glag –
Scoilt blaosc, scoilt sí arís,
Tháinig sicín amach: tsíp! tsíp!

Ceithre ubh istigh sa nead,
Cearc ar gor: glug, glug, glag –
Scoilt blaosc, scoilt sí arís,
Tháinig sicín amach: tsíp! tsíp!

Trí ubh istigh sa nead,
Cearc ar gor: glug, glug, glag –
Scoilt blaosc, scoilt sí arís,
Tháinig sicín amach: tsíp! tsíp!

Dhá ubh istigh sa nead,
Cearc ar gor: glug, glug, glag –
Scoilt blaosc, scoilt sí arís,
Tháinig sicín amach: tsíp! tsíp!

Ubh amháin istigh sa nead,
Cearc ar gor: glug, glug, glag –
Scoilt blaosc, scoilt sí arís,
Tháinig sicín amach: tsíp! tsíp!

𝄞**16** Nigh na héadaí,
Nigh na héadaí,
Cuimil agus cuimil agus nigh
na héadaí!

Fáisc na héadaí,
Fáisc na héadaí,
Fáisc agus fáisc agus fáisc
na héadaí!

Croch amach na héadaí,
Croch amach na héadaí,
Croch agus croch agus croch amach
na héadaí!

Séid, a ghaoth,
Séid, a ghaoth,
Séid agus séid agus triomaigh
na héadaí!

Crap isteach na héadaí,
Crap isteach na héadaí,
Crap agus crap agus crap isteach
na héadaí!

Rith isteach abhaile,
Rith isteach abhaile,
Rith agus rith agus rith isteach
abhaile!

𝄞 **17** Cúigear fear ag tógáil tí,
Ag tógáil tí,
Ag tógáil tí,
Cúigear fear ag tógáil tí –
Shuigh fear síos is lig sé a scíth!

Ceathrar fear ag tógáil tí,
Ag tógáil tí,
Ag tógáil tí,
Ceathrar fear ag tógáil tí –
Shuigh fear síos is lig sé a scíth!

Triúr fear ag tógáil tí,
Ag tógáil tí,
Ag tógáil tí,
Triúr fear ag tógáil tí –
Shuigh fear síos is lig
sé a scíth!

Beirt fhear ag tógáil tí,
Ag tógáil tí,
Ag tógáil tí,
Beirt fhear ag tógáil tí –
Shuigh fear síos is lig sé a scíth!

Fear amháin ag tógáil tí,
Ag tógáil tí,
Ag tógáil tí,
Fear amháin ag tógáil tí –
Shuigh sé síos is lig sé a scíth!

𝄞**18** Cuimil do bhosa,
Cuimil do bhosa,
Suas is síos!
Dún do lámha,
Oscail do lámha,
Dún is oscail arís!

Dorn ar dhorn,
Dorn ar dhorn,
Suas, suas, suas!
Is buail do bhosa,
Buail do bhosa,
Thuas, thuas, thuas!

𝄞 **19** Tá an béirín beag ina chodladh go sámh,
Ina chodladh go sámh,
Ina chodladh go sámh,
Tá an béirín beag ina chodladh go sámh –
Coc-a-dúdal-dú!
Arsa an coilichín rua.

Ó béarfaidh mé ort, a choilichín rua,
A choilichín rua,
A choilichín rua,
Ó béarfaidh mé ort, a choilichín rua!
Ní bhéarfaidh tú,
Coc-a-dúdal-dú!

𝄞**20** Roille, roille, ráinne,
Timpeall linn i bhfáinne.
Ríleo ró! Ríleo ró!
Suas san aer le mo choisín ó!

𝄞21 Sín do lámha suas thar do cheann,
Cas thart timpeall uair amháin,
Déan luascadh beag anonn is anall,
Is síos le do lámha, síos go mall!

𝄞**22** Capaillíní ag rothlú, ag rothlú, ag rothlú,
Capaillíní ag rothlú – timpeall linn go léir!

Capaillíní ag brostú, ag brostú, ag brostú,
Capaillíní ag brostú – timpeall linn go léir!

Capaillíní ag damhsa, ag damhsa, ag damhsa,
Capaillíní ag damhsa – timpeall linn go léir!

Capaillíní ag moilliú, ag moilliú, ag moilliú,
Capaillíní ag moilliú – timpeall linn go léir!

𝄞 **23** Sailí lacha, níl sí luath,
Tá sí mall is trom sa siúl.
Luascadh ó dheas is luascadh
ó thuaidh
'Teacht ón loch abhaile.

Scuaidrín aniar ina diaidh
'Tabhairt na gcoiscéim deas is clí.
Scuaidrín aniar ina diaidh
'Teacht ón loch abhaile.

𝄞**24** Smidín beag, an seilide,
Ag snámh go righin is go mall.
Suas an balla,
Suas an balla,
Anuas arís ar ball!

𝄞**25** Dhá speig neanta
Ag snámh go righin,
Ag snámh go righin is go mall.
Síos an cosán,
Síos an cosán,
Isteach i measc na mbláth.

𝄞**26** Mainséar beag
Báibín ina luí.
Sin é Íosa,
mo chomrádaí.
Mainséar beag
Báibín ina luí.
Sin é Íosa
mo chomrádaí.

Leo – leo – ín
Leo – ó – leo – ó – ín
Páistín Rí
ina luí sa tuí.
Leo – leo – ín
Leo – ó – leo – ó – ín
Páistín Rí
ina luí sa tuí.

𝄞**27** Istigh sa Zú
Tá an Babaí Cangarú –
Léim anois,
Léim anois,
Léim anois go luath!

Istigh sa Zú
Tá an Mamaí Cangarú –
Léim anois,
Léim anois,
Léim anois go luath!

Istigh sa Zú
Tá an Daidí Cangarú –
Léim anois,
Léim anois,
Léim anois go luath!

28 Tá duine ag an doras –
Bing-bong! Bing-bong!
Tá duine ag an doras – Bing-bong!

Cé tá ansin ar maidin go moch?
Is mise atá ann, arsa bean an phoist –
Bing-bong! Bing-bong! Bing-bong!

𝄞**29** Hóra, mise bean an phoist!
Hóra, mise bean an phoist!
  Ní dhéanaim moill,
  Ní dhéanaim moill,
Táim éadrom ar mo chois!

Agus cén chaoi a bhfuil tú féin?
Agus cén chaoi a bhfuil tú féin?
  Bí soineanta,
  Bí soineanta,
Ar feadh an lae go léir!

𝄞**30** Lámha, bosa,
glúine, cosa;
Buail do bhosa
ar do chosa.

𝄞 **31** Mise Dic
An Róbó glic!
Clic – cleaic,
Clic – cleaic,
Clic – cleaic, clic!

32 Fear beag bán,
Hata ar a cheann,
Ag leá is ag leá,
Ag leá is ag leá,
Anois tá sé leáite!
Bean bheag bhán,
Hata ar a ceann,
Ag leá is ag leá,
Ag leá is ag leá,
Anois tá sí leáite!

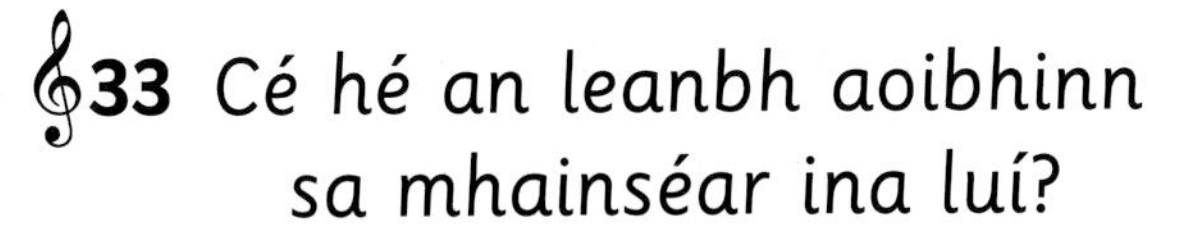

33 Cé hé an leanbh aoibhinn
sa mhainséar ina luí?
Cé leis é?
Nach deas é?
An leanbh beag caoin.

'Sé Íosa an leanbh aoibhinn
ina luí sa mhainséar.
Is liomsa
'S is leatsa
Rí na ríthe, Mac Dé.

34 Ag bualadh bos,
Ag bualadh bos,
A haon, a dó, a trí.
Ag greadadh cos,
Ag greadadh cos,
Ó bímse ag déanamh spraoi.

𝄞**35** Trí úll aibí
ar an gcrann.
Trí úll aibí
ar an gcrann.
Piocfaidh mé ceann,
Ceann amháin,
Is tá dhá úll aibí
ar an gcrann.

Dhá úll aibí
ar an gcrann.
Dhá úll aibí
ar an gcrann.
Piocfaidh mé ceann,
Ceann amháin,
Is tá úll aibí amháin
ar an gcrann.

Úll aibí amháin
ar an gcrann.
Úll aibí amháin
ar an gcrann.
Piocfaidh mé é,
Is íosfaidh mé é,
Is níl úll ar bith fágtha
ar an gcrann.

𝄞**36** Luichíní ag damhsa
Thart timpeall an tí,
Luichíní ag damhsa
Is ag ríleáil san oíche!

An cat mór ag faire,
An cat mór ag teacht –
Rithigí, a luichíní!
Rithigí isteach!